Cartas a mi Nieto

Cuando tus padres me dijeron que iban a tener un bebé...

Me encanta ser tu abuelo/a porque...

Como tu abuelo/a espero...

Esta es una historia divertida sobre mi

Como abuelo/a, te prometo...

En el futuro, espero que hagamos esto juntos

Cuando seas mayor, espero que...

Cuando seas mayor espero que te acuerdes de...

Como abuelo/a espero ser...

Te prometo...

Espero que aprendas esto de mi

Cuando era más jóven, me hubiera gustado...

Si pudiera enseñarte una cosa...

Un par de cosas que no sabías sobre mí...

Una historia que me encantaría compartir contigo

El recuerdo más bonito que tengo sobre tus padres

Mi deseo para ti es...

La aventura más grande que he vivido...

Esta es mi historia preferida sobre nuestra familia

El mejor consejo que te puedo dar es...

El día que naciste...

Cuando era niño/a, esto es lo que más me gustaba hacer

Espero que en tu vida...

Made in the USA
Las Vegas, NV
19 April 2022

47686122R00057